KT-294-397

De Nederlandse keuken
Dutch Cuisine

Francis van Arkel

De Nederlandse keuken

traditionele Nederlandse recepten

Dutch Cuisine

traditional recipes from the Netherlands

Redactie en productie/Editing and production: Vitataal, Feerwerd
Vertaling/Translation: Anne Hodgkinson/Vitataal
Receptuur en food styling/Recipes and food styling: Francis van Arkel
Styling: Moniek Visser
Vormgeving/Book design: Ton Wienbelt, Den Haag
Omslagontwerp/Cover design: Fenatic, Oostwold
Fotografie/Photography: NutriVisie, Shutterstock - Joop Hoek, R. Martens

ISBN: 978 90 5920 472 0

4e druk 2013

Voor meer informatie: www.veltman-uitgevers.nl

Inhoud *Contents*

Voorwoord

De Nederlandse keuken, bestaat die? Jazeker, wij hebben in Nederland wel degelijk gerechten die vooral in ons land bekend zijn. Jammer dat we daar niet wat trotser op zijn, want als je het over de echte Hollandse keuken hebt, hoor je veel mensen zeggen: mmm, lekker! Dus hoezo, Nederlands eten is niet 'in'?

Het is natuurlijk wel zo dat de buitenlandse keuken hier inmiddels helemaal is ingeburgerd. We kijken niet meer vreemd op van een broodje pesto en mozzarella, naan met curry of kip piri piri. En dat is alleen maar goed, want door al dat exotische eten wordt het aanbod van ingrediënten steeds groter. Wellicht is dat de oorzaak van het feit dat menigeen niet meer weet hoe een authentieke zondagse soep of goede stamppot wordt gemaakt. En de lekkerste kroketten, die maak je nog altijd zelf. Dat is nu precies waarom ik dit boekje heb geschreven.

In dit boekje staan veel typisch Nederlandse gerechten, die de moeite van het bereiden meer dan waard zijn. Naast stamppotten en maaltijdsoepen zijn er recepten van heerlijke toetjes, ontbijt- en lunchgerechten. Ook verrukkelijke gerechten voor de 'warme maaltijd', zoals wij nog steeds zeggen, ontbreken niet. Deze gerechten zijn het lekkerst zoals oma ze maakte, maar natuurlijk wel met alle gemakken van tegenwoordig. Puur koken, geen culinaire hoogstandjes, maar gewoon lekker en degelijk eten voor de hele familie – ouderwets gezellig!

Smakelijk eten!
Francis van Arkel

Foreword

Some people wonder if there is such a thing as a 'Dutch cuisine'. There certainly is! We have perfectly respectable dishes in the Netherlands, but they are mainly known amongst ourselves. It is a pity we don't take more pride in them, because when we talk about real Dutch cooking, a lot of people say, *'Mmm, lekker!'* (yummy!) – so how can Dutch food be out of fashion?

Of course it is true that we have now completely integrated foreign foods into our Dutch diet. A sandwich with pesto or mozzarella, naan bread and curry, or chicken piri piri no longer raise eyebrows. And that has only done us good, because all that exotic food has increased the wealth of ingredients available to us. Perhaps that is why few people remember how to make an authentic Sunday soup or a really good *stamppot*. And the croquettes you make yourself are still the best.
And that is precisely why I have written this little book.

This book includes many typically Dutch recipes, which are more than worth the effort. Besides hearty *stamppotten* (mashed dishes) and soups you will find here recipes for luscious desserts, and breakfast and lunch dishes. There are also delightful recipes for *de warme maaltijd* (the hot meal, for most Dutch people eat a hot meal just once a day). These are best the way our grandmother made them, but now with the ease of today's conveniences. It's pure cookery, no fancy culinary feats, just good home cooking for the whole family – old-fashioned and fun!

As we say, *smakelijk eten!*
Francis van Arkel

Inleiding

Vraag een willekeurige Nederlander wat hij vanavond gaat eten; tien tegen één dat hij 'aardappelen, groenten en vlees' zegt. Ondanks het grote aanbod aan buitenlands voedsel eten de meeste Nederlanders dit traditionele drieluik nog steeds een paar keer per week. Deze manier van eten begint langzaam te veranderen door buitenlandse invloeden. Jonge mensen eten steeds minder vaak aardappelen en grijpen vaker naar rijst, pasta, couscous of andere graanproducten. Ook de kant-en-klare maaltijden maken hun opmars, waardoor het zelf bereide authentieke Nederlandse eten soms in de verdrukking komt.

Nog steeds is een veelgehoorde opmerking: 'Het is niet zo lekker als hoe mijn oma dat altijd maakt(e).' Tja, misschien is dat wel waar. Vroeger waren er minder hulpmiddelen en werd er veel puurder gekookt, met groenten uit het seizoen. De smaken waren daardoor intenser. Mijn moeder kan heerlijk koken, maar uitsluitend de Hollandse pot. Gelukkig voor mij heb ik dankzij haar een prima leerschool gehad in de Nederlandse keuken; veel van de door mij beschreven recepten zijn dan ook al lang in onze familie en worden door ons altijd met smaak gegeten.

Wat is nu typisch Nederlands eten, en waarom? 'Eenvoudig, maar voedzaam' zijn de sleutelwoorden van onze eetcultuur. Ook 'stevig' is een sleutelwoord. Want Nederlands eten wordt geassocieerd met erwtensoep, met kapucijners met spek, met stamppot met worst, en pap waar de lepel rechtop in blijft staan.

Een 'culinaire' reis door de tijd in Nederland
Rond 1350 heeft de pestepidemie de Europese bevolking met bijna de helft doen inkrimpen. Het vee dat graasde hoefde toen met minder mensen gedeeld te worden, waardoor ook de armere mensen vlees gingen eten. Het vleesaanbod was enorm en gevarieerd. Ook rogge en tarwe hoefden met minder mensen gedeeld te worden, waardoor brood voor de armen oprukte. Daarnaast ontstond er meer belangstelling voor vis. Kaas en eieren waren er natuurlijk al. Toch bleef een pap of brij van erwten en knollen nog steeds het basisvoedsel; er was nog niet veel interesse in andere groenten of fruit.

Tussen 1500 en 1700 werden door de ontdekking van Amerika nieuwe producten geïntroduceerd, zoals maïs, bonen en aardappelen. Ook suiker was in opmars. In die periode gingen de welgestelden steeds lekkerder en verfijnder eten. Door de bevolkingsgroei nam de hoeveelheid beschikbaar vlees per persoon af en werd het weer een product voor de rijken. De armen aten nauwelijks nog vlees en voedden zich vooral met roggebrood, knolgewassen en peulvruchten.

Tussen 1680 en 1850 veroverde de aardappel definitief een plekje als volksvoedsel en werden brood en pap van de eerste plaats verstoten. De hoge graanprijzen in de achttiende eeuw dwongen de armen om aardappelen te eten en langzaam maar zeker drong de aardappel door tot de eettafels van de middenklasse en de rijken. In deze tijd deed ook de vork zijn intrede, want hete aardappelen zijn lastig met de handen te eten.

Tussen 1850 en 1960 gebeurde er heel veel. In de agrarische sector nam de opbrengst enorm toe door het benutten van moderne landbouwmachines, door de grootschalige aanpak en het gebruik van kunstmest. De stoomboot en de stoomtrein maakten het mogelijk overal voedsel te halen en te brengen. Er werden tevens koelsystemen aangelegd, want het voedsel moest koel vervoerd worden om bederf tegen te gaan. In deze periode kwam de Nederlander tot onze traditionele indeling van de maaltijden: twee keer per dag brood en één keer warm eten.

Naast brood was pap vóór 1960 in Nederland nog steeds populair, en niet te vergeten de pannenkoek. De warme maaltijd varieerde van een stevige stamppot tot een in aparte pannen gekookte maaltijd van aardappelen, verse groente en een stukje vlees met jus, al dan niet voorafgegaan door soep en afgesloten met een toetje. In sommige huishoudens werden alle gangen uit één en hetzelfde bord gegeten.

Na 1960 stonden tafelmanieren hoog in het vaandel, serviesgoed en tafellinnen werden belangrijk en de huisdeuren werden wijd opengezet voor buitenlands eten. Nasi, loempia, pizza, pasta, hamburger én de zak patat – ze raakten helemaal ingeburgerd. Het aantal een- en tweepersoonshuishoudens bleef groeien en veel vrouwen gingen buitenshuis werken, en zo is de situatie nog steeds. Hierdoor gunnen mensen zichzelf minder tijd om te koken, waardoor gemaksvoedsel steeds populairder wordt.

Gelukkig hebben mensen de laatste jaren steeds meer aandacht voor eten. Door de veelal kortere werkweken is er meer vrije tijd, die onder andere wordt gespendeerd aan de kinderen en het koken. Mensen willen weer wat lekkers en vers op tafel zetten en hebben er plezier in om familie en vrienden culinair te verwennen. Deze trend is duidelijk zichtbaar in de Nederlandse restaurants, die op een enorm hoog niveau koken en absoluut niet onderdoen voor restaurants in België en Frankrijk – landen die voor velen het walhalla op eetgebied vormen. Nederland is in culinair opzicht dus écht op de kaart gezet!

Introduction

Ask your average Dutch person what they're eating tonight, and the odds are that he or she will say 'meat, potatoes and vegetables'. Despite the wide availability of foreign foods, most Dutch people still enjoy this traditional trio a few times a week. This way of eating is gradually starting to change, thanks to foreign influences. Young people are eating fewer and fewer potatoes and more often choose rice, pasta, couscous or other grains. The 'just heat 'n eat' meal is also making inroads, putting some pressure on home-made authentic Dutch cookery.

One still hears the remark 'it's not as good as my grandmother used to make it'. That could be true. There were fewer conveniences then, and the cooking was purer, using vegetables that were in season, which made the flavours more intense. My mother can cook wonderfully, but Dutch dishes only. Luckily for me, she gave me a fine foundation course in Dutch cooking. Many of the recipes in this book have been in our family for a long time, and we still love them.

So what is typical Dutch cooking and what makes it so? 'Simple but nutritious' are the key words of our food culture. Another one is 'hearty'; Dutch cooking is associated with pea soup and beans with bacon, stamppot with sausages, and porridge you can stand a spoon upright in.

A culinary voyage in time in the Netherlands

The plague epidemic in the mid-fourteenth century shrank the population of Europe by nearly half. With fewer people, there was now more livestock to go around, and thus even poorer people began to eat meat. The supply of meat was huge and varied. There was also more of the rye and wheat crops for fewer people, and so bread entered the diets of the poor. There was also more interest in fish. Cheese and eggs were already a staple. Nevertheless, a porridge of peas and root vegetables remained the basic foodstuff; there was not yet much interest in other vegetables or fruit.

Between 1500 and 1700 new products were introduced from America, such as corn (maize), beans and potatoes. Sugar, too, was becoming more popular. The well-off began to eat better and more refined foods. The growth in population meant less meat was available per person, and once again it became a product for the rich. The poor hardly ate meat any longer and were fed mainly on rye bread, root crops and pulses.

Between 1680 and 1850 the potato acquired a definitive place over bread and porridge as chief food-stuff of the common people. High grain prices in the eighteenth century had forced the poor to eat potatoes, which slowly but surely made their way onto the dining tables of the middle classes and the rich. This age also saw the introduction of the fork, since a hot potato is difficult to eat with your bare hands.

Between 1850 and 1960 many changes took place. Profits in the agricultural sector increased enormously thanks to the use of modern farm machinery, economies of scale, and the use of chemical fertilisers. Steam-powered boats and trains made it possible to transport food everywhere. Since the food had to be shipped cold to prevent spoilage, cooling systems were also installed. During this period, the Dutch arrived at what is now their traditional eating pattern: two cold meals or meals with bread and one hot meal a day.

Besides bread, porridge was still popular in the Netherlands before 1960, and we mustn't forget the pancake. The hot meal varied from a hearty one-pot stew to a meal, cooked in separate pots, consisting of potatoes, fresh vegetables and a piece of meat with gravy, possibly preceded by a soup and followed by a sweet. And in some households all three courses were eaten from one and the same bowl.

After 1960, people became concerned with table manners, china and table linens became important, and Holland opened its doors to foreign foods. Nasi, lumpias, pizza, pasta, hamburgers and chips in a cone all became completely accepted. The number of one- and two-person households kept increasing, and many women began to work outside the home, which is still the case today. Thus people are allowing themselves less time to cook, which is making convenience foods even more popular.

Thankfully, in the last few years people have been getting more interested in what they eat. Most people have shorter working weeks, which gives them more spare time, some of which is spent on the children and on cooking. People want something nice and freshly made to put on the table and they take pleasure in pampering their family and friends food-wise. This trend is clear in Dutch restaurants, which now cook at an extremely high level and are not to be outdone by restaurants in Belgium and France (countries which for many were the Valhalla of eating). So when it comes to cooking, Holland has really put itself on the map!

Ontbijt, brunch en lunch
Breakfast, brunch and lunch

voor 4 personen

2 eieren
2 tl kaneelpoeder
150 ml melk
8 sneetjes (oud) witbrood, zonder korst
50 g boter
2 appels, geschild en in dunne partjes
1 el kaneelsuiker (2 delen kaneel op 1 deel suiker)

Klop de eieren los en roer het kaneelpoeder en de melk erdoor. Wentel de sneetjes brood door het eimengsel en laat ze er even in liggen; niet te lang, anders vallen de sneetjes brood uit elkaar.

Smelt de boter in een koekenpan en bak het brood aan beide kanten mooi goudbruin. Haal de sneetjes brood uit de pan en houd ze warm. Bak de partjes appel in dezelfde pan aan beide kanten en verdeel ze over de wentelteefjes. Bestrooi ze met de kaneelsuiker.

serves 4

2 eggs
2 tsp cinnamon
150 ml milk
8 slices (preferably stale) white bread, crusts removed
50 g butter
2 apples, peeled and thinly sliced
1 tbsp cinnamon sugar (2 parts sugar to 1 part powdered cinnamon)

Beat the eggs and stir in the cinnamon and milk. Dunk the slices of bread in the egg mixture and let them absorb it somewhat; do not leave them in the mixture too long, otherwise the bread will fall apart.

Melt the butter in a frying pan and fry the bread on both sides until golden brown. Remove from the pan and keep warm. In the same pan fry the apple slices on both sides and spoon them over the French toast. Sprinkle with the cinnamon sugar.

Wentelteefjes *met kaneelappeltjes*
French toast *with cinnamon apples*

voor 4 personen

2 rijpe bananen, gepeld
sap en rasp van 1 sinaasappel
1 ei
150 ml melk
100 g zelfrijzend bakmeel
30 g boter
2 el sinaasappelmarmelade

Prak de banaan met een vork en roer het sinaasappelsap, de sinaasappelrasp, het ei en de melk erdoor. Spatel het meel erdoor. Smelt de boter in een koekenpan en schep 3 hoopjes beslag in de pan. Bak de pannenkoekjes tot de bovenkant bijna droog is en draai ze dan om. Bak deze kant lichtbruin. Bak de resterende pannenkoekjes op dezelfde manier.

Verdeel de pannenkoekjes over de borden en schep er een lepel sinaasappelmarmelade op.

serves 4

2 ripe bananas, peeled
juice and zest of 1 orange
1 egg
150 ml milk
100 g self-raising flour
30 g butter
2 tbsp orange marmalade

Mash the bananas with a fork and stir in the orange juice, zest, egg and milk. Using a spatula spoon in the flour. Melt the butter in a frying pan and ladle 3 mounds of batter in the pan. Fry the pancakes until the top is almost dry, then turn. Fry this side until light brown. Fry the remaining pancakes in the same way.

Put the pancakes on 4 plates and serve each portion with a spoonful of orange marmalade on top.

Bananenpannenkoekjes *met sinaasappelmarmelade*

Banana pancakes *with orange marmalade*

voor 4 personen

4 nieuwe haringen
1 gekookte rode biet, in kleine blokjes
1 aardappel, gekookt en in kleine blokjes
1 appel, in kleine blokjes
1 ui, gesnipperd
2 augurken, in kleine blokjes
1 el azijn
2 el mayonaise
8 sneetjes witbrood
peper en zout

Dep de haringen droog met keukenpapier en snijd ze in kleine blokjes.

Schep in een kom de rode biet, aardappel, appel, ui en augurken snel door elkaar. Meng de azijn erdoor en voeg wat zout en peper toe. Laat dit mengsel 30 minuten afgedekt staan.

Schep de haring en de mayonaise door de bietensalade tot er een mooi smeuïg geheel ontstaat.

Rooster de sneetjes witbrood en verdeel de haringsalade erover.

serves 4

4 new herrings
1 beetroot, boiled and diced
1 potato, boiled and diced
1 apple, diced
1 onion, finely chopped
2 pickles, diced
1 tbsp vinegar
2 tbsp mayonnaise
8 slices white bread
salt and pepper

Dab the herring dry with kitchen paper and dice it.

In a bowl quickly mix the beetroot, potato, apple, onion and pickles. Stir in the vinegar and add salt and pepper. Let stand, covered, for 30 minutes.

Stir the herring and mayonnaise in the betroot salad until the consistency is nice and smooth.

Toast the bread and spread the herring salad on the slices.

Haringsalade *op toast*
Herring salad *on toast*

voor 4 personen

250 g kipfilet
400 ml water
100 ml witte wijn
½ wortel, fijngehakt
½ prei, fijngehakt
½ ui, fijngehakt
125 g boter
125 g bloem
nootmuskaat
3 el fijngesneden peterselie
1 eidooier
4 el room
6 el paneermeel
frituurolie
8 sneetjes brood
boter
mosterd
peper en zout

Breng de kipfilet aan de kook met het water, de wijn, wortel, prei en ui en laat het geheel 20 minuten zachtjes koken. Haal de kipfilet eruit en laat hem afkoelen. Snijd de kip in stukjes. Zeef het kookvocht.

Smelt de boter en roer de bloem erdoor. Bak dit mengsel 2 minuten, zodat de bloem gaar wordt. Voeg 150 ml van het kookvocht toe en blijf roeren tot er een egaal ontstaat. Voeg dan de rest van het stoofvocht toe, zodat er een dikke ragout ontstaat. Voeg peper en zout toe.

Roer de kipfilet met de peterselie, eidooier en room door de ragout. Laat de ragout minstens 2 uur, maar het liefst een hele nacht, in de koelkast opstijven.

Vorm van de koude ragout 8 gelijke porties en rol ze door het paneermeel. Laat ze 30 minuten opstijven in de koelkast.

Verhit de frituurolie tot 180 °C en bak de kroketten goudbruin in de hete olie. Laat ze uitlekken op keukenpapier.

Besmeer de sneetjes brood met boter en leg er een kroket op. Serveer met de mosterd.

serves 4

250 g boneless chicken breast
400 ml water
100 ml white wine
½ carrot, chopped
½ leek, chopped
½ onion, chopped
125 g butter
125 g flour
nutmeg
3 tbsp parsley, finely chopped
1 egg yolk
4 tbsp cream
6 tbsp dry bread crumbs
oil for deep-frying
8 slices bread
butter or margarine for spreading
mustard
salt and pepper

Bring the chicken breast to a boil in a pan with the water, wine, carrot, leek and onion. Let simmer for 20 minutes. Remove the chicken breast and let cool. Chop finely. Strain the cooking liquid.

Melt the butter and stir in the flour, blending thoroughly. Fry this mixture 2 minutes, until the flour is cooked. Add 150 ml of the cooking liquid and keep stirring until mixture is smooth. Add the remaining cooking liquid, until you have a thick ragout. Season.

Stir the chicken, parsley, egg yolk and cream into the ragout. Chill for at least 2 hours, but preferably overnight, to stiffen.

Divide the cold ragout into 8 equal portions and roll these in the bread crumbs. Store them in the refrigerator for 30 minutes.

Heat the oil to 180 °C and fry the croquettes in the hot oil until golden brown. Drain on kitchen paper.

Butter the slices of bread and lay a croquette on each slice. Serve with mustard.

Kroket *op brood*
Croquettes *on bread*

voor 4 personen

100 g spekreepjes
100 g champignons, in plakjes
1 blikje erwten en worteltjes (200 gram)
6 eieren
100 ml melk
4 sneetjes brood
2 el mayonaise
2 el fijngesneden tuinkruiden (bieslook, peterselie etc.)
peper en zout

Verhit een koekenpan en bak de spekreepjes uit. Schep ze uit de pan en bak de champignons 5 minuten in het spekvet. Voeg de erwtjes, worteltjes en de spekreepjes toe en schep alles goed om.

Klop de eieren met de melk los en voeg peper en zout toe. Schenk het eimengsel in de pan bij de groenten, dek ze af met een deksel en bak het geheel op laag vuur tot een dikke omelet.

Snijd de omelet in 4 punten en verdeel ze over het brood. Meng de mayonaise met de kruiden en schep een lepel kruidenmayonaise op de omelet.

serves 4

100 g bacon, julienned (available in the Netherlands as 'spekreepjes')
100 g mushrooms, sliced
1 tin of peas and carrots (200 g)
6 eggs
100 ml milk
4 slices bread
2 tbsp mayonnaise
2 tbsp finely chopped fresh herbs (chives, parsley, etc.)
salt and pepper

Heat a frying pan and brown the bacon. Remove the bacon and fry the mushrooms in the bacon fat for 5 minutes. Add the peas, carrots and the bacon and mix well.

Beat the eggs with the milk and season. Pour the egg mixture into the pan with the vegetables. Cover and cook over low heat until the eggs have thickened.

Cut the omelette into 4 wedges and place each wedge on a slice of bread. Mix the mayonnaise with the herbs and spoon a little mayonnaise over each serving.

Boerenomelet *met kruidenmayo*
Country omelette *with herb mayonnaise*

voor 4 personen

30 g boter
8 plakjes rauwe ham
4 eieren
4 plakjes komijnekaas
4 sneetjes brood
smeerboter
peper en zout

Smelt de boter in een koekenpan en bak de rauwe ham aan de onderkant krokant. Breek de eieren erboven en bak deze enkele minuten op een lage warmtebron. Leg de plakjes komijnekaas naast de dooiers en bestrooi ze met peper en zout. Leg het deksel op de pan en laat de kaas smelten.

Besmeer de sneetjes brood met boter en verdeel de uitsmijter over het brood.

serves 4

30 g butter
8 slices prosciutto
4 eggs
4 slices Leiden cheese (cumin cheese)
4 slices of bread
butter or margarine for spreading
salt and pepper

Melt butter in a frying pan and fry the prosciutto until crispy. Break the eggs on top of the prosciutto and fry for a few minutes over low heat. Place the cheese next to the yolks and season with salt and pepper. Cover the pan and melt the cheese.

Butter the bread and put the fried eggs on top.

Uitsmijter *met rauwe ham en komijnekaas*

'Uitsmijter' *(fried egg sandwich) with prosciutto and cumin cheese*

voor 4 personen

8 sneetjes brood, zonder korst
30 g gesmolten boter
8 hardgekookte eieren, gehakt
4 augurken, in kleine stukjes
1 theelepel paprikapoeder
1 tl mosterd
1 el tomatenketchup
2 el fijngesneden peterselie
2 el mayonaise
peper en zout

Bestrijk de sneetjes brood met gesmolten boter en druk ze in een muffinblik. Bak het brood 15-20 minuten in een oven van 200 °C goudbruin. Haal ze uit de vorm en laat ze afkoelen.

Meng de gehakte eieren met de augurk, het paprikapoeder, de mosterd, tomatenketchup, peterselie en mayonaise. Voeg peper en zout toe. Vul de broodpasteitjes met de eiersalade.

serves 4

8 slices of bread, crusts removed
30 g melted butter
8 hard-boiled eggs, chopped
4 gherkins, finely chopped
1 tsp paprika
1 tsp mustard
1 tbsp ketchup
2 tbsp chopped parsley
2 tbsp mayonnaise
salt and pepper

Brush the bread slices with the melted butter and press each slice into a muffin tin. Bake the bread 15-20 minutes in a 200 °C oven until golden brown. Remove the bread from the tins and let it cool.

Mix the chopped eggs with the gherkins and paprika, mustard, ketchup, parsley and mayonnaise. Season with salt and pepper. Fill the bread cups with the egg salad.

Broodpasteitje *met eiersalade*
Bread cups *with egg salad*

Soepen en maaltijdsoepen
Soups

Zondagse soep
Sunday soup

voor 4-6 personen

350 g runderschenkel
100 g mager soepvlees
2 el olie
1 ui, in grove stukken
1 kleine prei, in grove stukken
1 winterwortel, in grove stukken
snufje zout
2 takjes peterselie, grof gesneden
2 takjes bladselderij, grof gesneden
1 laurierblaadje
6 zwarte peperkorrels, licht gekneusd
stukje foelie
stukje citroenschil
ketjap
300 g fijngesneden soepgroenten
peper en zout

Dep de schenkel en het soepvlees droog met keukenpapier. Verhit de olie in een soeppan en bak de schenkel en het soepvlees snel bruin. Voeg na 3 minuten de ui toe en fruit deze kort mee. Schenk er 2 liter water bij en breng het geheel aan de kook. Schuim het oppervlak regelmatig en zorgvuldig af. Voeg daarna de prei, wortel, wat zout, de peterselie, selderij, het laurierblaadje, de peperkorrels, foelie en citroenschil toe en temper de warmtebron. Laat de bouillon met het deksel schuin op de pan minstens 3 uur zachtjes trekken.

Zeef hierna de bouillon door een (kaas)doek en laat de soep afkoelen. Maak het soepvlees schoon en snijd het in stukjes. Schep het gestolde vet van de bouillon en breng deze opnieuw aan de kook. Laat de bouillon tot de helft inkoken. Zeef de bouillon hierna opnieuw en breng hem op smaak met ketjap, peper en zout.

Voeg het soepvlees en de soepgroente toe en kook de soep 10 minuten tot de groenten beetgaar zijn.

serves 4 -6

350 g beef shank
100 g lean stewing beef
2 tbsp oil
1 onion, coarsely chopped
1 small leek, coarsely chopped
1 large carrot, coarsely chopped
pinch of salt
2 sprigs of parsley, coarsely chopped
2 sprigs of flat-leaf parsley, coarsely chopped
1 bay leaf
6 black peppercorns, crushed
small piece of mace
small piece of lemon peel
sweet soy sauce
300 g finely chopped onion/carrot/leek (available in Holland as 'soepgroenten')
salt and pepper

Wipe the shank and stewing meat dry with kitchen paper. In a large pan heat the oil and brown the shank and meat over a high heat for 3 minutes. Add the onion and fry. Add 2 litres of water and bring to the boil. Skim the surface often and thoroughly. Add the leek, carrot, salt, parsley, flat-leaf parsley, bay leaf, peppercorns, mace and lemon peel and reduce the heat. Simmer gently, partly covered, for at least 3 hours.

Strain the stock through a piece of cheesecloth and let cool. Wipe the meat clean and chop fine. Skim the congealed fat from the stock and bring the stock to the boil again. Let it boil until the volume has reduced by half. Strain again and season to taste with soy sauce, salt and pepper.

Add the meat and remaining vegetables and simmer for another 10 minutes until the vegetables are just tender.

Aspergesoep
Asparagus soup

voor 4 personen

1 kg witte soepasperges
(asperges die te dun zijn om te schillen)
8 witte asperges
25 g boter
25 g bloem
1 groentebouillonblokje
200 ml room
peper en zout

Snijd de soepasperges in stukken. Schil de andere asperges met een dunschiller en snijd 5 cm van het uiteinde af. Zet de soepasperges, asperges, afsnijdsels en de schillen net onder water en breng ze met een beetje zout aan de kook. Laat het geheel 10 minuten zachtjes koken. Haal de asperges uit het kookvocht. Zeef de rest en bewaar het kookvocht. De soepasperges en schillen worden niet meer gebruikt.

Smelt de boter in een pan en roer de bloem erdoor. Laat de bloem in 1 minuut gaar worden en schenk dan het kookvocht erbij. Roer goed tot er een gladde soep ontstaat en laat deze even doorkoken. Voeg het groentebouillon-blokje en peper en zout toe.

Snijd de asperges in stukjes en roer ze met de room door de soep.

serves 4

1 kg very thin white asparagus
(stalks too thin to peel)
8 white asparagus
25 g butter
25 g flour
1 vegetable stock cube
200 ml cream
salt and pepper

Chop the thin asparagus. Peel the 8 white asparagus with a vegetable peeler and cut off 5 cm from the ends. Put the thin asparagus, white asparagus, ends and peels in a pot with just enough water to cover, add some salt and bring to a boil. Let simmer for 10 minutes. Remove the asparagus. Strain the remaining liquid, and set it aside. Discard thin asparagus and trimmings.

Melt the butter in a pan and stir in the flour. Cook the flour for 1 minute and add the hot soup. Continue to cook, stirring until you have a smooth soup, and let cook for a few more minutes. Add the stock cube and season to taste.

Cut the asparagus in pieces and stir them in the soup with the cream.

Erwtensoep
Pea soup

maaltijdsoep voor 4-6 personen

500 g mager soepvlees
500 g groene spliterwten
1 tl peper
1 grote ui, grof gesnipperd
3 preien, in kleine stukjes
1 knolselderij, in kleine blokjes
2 winterwortels, in plakken
2 vleesbouillonblokjes
1 kruidenbouillonblokje
1 rookworst
peper en zout

Doe het soepvlees, de spliterwten, peper, ui, prei, knolselderij, wortel en bouillonblokjes in een grote soeppan en voeg 2½ liter water toe. Breng dit aan de kook en temper de warmtebron. Laat het geheel 4 tot 5 uur zachtjes koken, tot de erwtensoep helemaal gaar is. Roer regelmatig.

Haal het soepvlees uit de soep en maak het schoon. Snijd het in kleine stukjes en doe ze weer in de soep. Snijd de rookworst in plakjes en doe ze in de soep. Maak de stukjes groenten eventueel met een vork fijn. Voeg peper en zout toe.

Serveer de erwtensoep met zuurdesembrood of roggebrood, boter, zout en plakjes spek.

main course, serves 4 -6

500 g lean beef ribs
500 g green split peas
1 tsp ground pepper
1 large onion, coarsely chopped
3 leeks, finely chopped
1 celeriac, diced
2 large carrots, sliced
2 beef stock cubes
1 vegetable stock cube
1 smoked sausage (Dutch 'rookworst')
salt and pepper

Put the beef ribs, split peas, pepper, onion, leeks, celeriac, carrots and stock cubes in a large pan and add 2½ litres of water. Bring to a boil and turn down the heat. Let the soup simmer for 4 to 5 hours until very tender, stirring often.

Remove the ribs and clean them. Cut the meat into small pieces and add them to the soup. Slice the sausage and add. If you like, mash any large pieces of vegetable with a fork. Season to taste.

Serve the soup with sourdough bread or dark rye bread, butter, salt and slices of bacon.

Groentesoep *met balletjes*
Vegetable soup *with meatballs*

voor 4 personen

1 liter runderbouillon,
vers of van bouillonblokjes
200 g gehakt
200 g soepgroenten, fijngesneden
50 g vermicelli
1 takje bladselderij, fijngesneden
1 takje peterselie, fijngesneden
peper en zout

Breng de bouillon tegen de kook aan (niet laten koken). Draai ondertussen kleine balletjes van het gehakt.

Voeg zodra de bouillon goed heet is de balletjes, soepgroenten, vermicelli, bladselderij en peterselie toe. Laat ze 10-15 minuten zachtjes koken en in de bouillon gaar worden. Voeg peper en zout toe.

serves 4

1 litre beef stock, fresh or from cubes
200 g minced meat
200 g mixed vegetables (onion/carrot/leek or 'soepgroente'), finely chopped
50 g vermicelli
1 sprig flat-leaf parsley, finely chopped
1 sprig of parsley, finely chopped
salt and pepper

Bring the stock to a boil (but do not let it boil). In the meantime form with your hands the mince meat into balls the size of a walnut.

When the stock is hot, add the meatballs, vegetables, vermicelli, flat-leaf parsley and parsley. Simmer for 10-15 minutes until the meatballs are cooked. Season to taste.

Bruinebonensoep
Brown bean soup

maaltijdsoep voor 4 personen

25 g boter
150 g gerookt spek, in kleine blokjes
2 uien, gesnipperd
1 grote prei, in ringen
1 el paprikapoeder
1½ kg gare bruine bonen
(vers, uit blik of uit een pot) uitgelekt
250 ml gepureerde tomaten
1½ liter runderbouillon, vers of van een blokje
1 tl ketjap
peper en zout

Verhit de boter in een soeppan en bak het spek uit. Voeg de uien, prei en het paprikapoeder toe. Roer het mengsel goed door. Voeg de bruine bonen, gepureerde tomaten en de bouillon toe.

Breng de soep aan de kook en laat deze ongeveer 10 minuten zachtjes koken. Breng de soep op smaak met ketjap, peper en zout.

main course, serves 4

25 g butter
150 g smoked bacon, diced
2 onions, finely chopped
1 large leek, sliced
1 tbsp paprika powder
1½ kg cooked brown beans
(fresh, tinned or in a jar), drained
250 ml tomato puree
1½ litre beef stock, fresh or from a cube
1 tsp sweet soy sauce
salt and pepper

Heat the butter in a large pan and brown the bacon. Add the onions, leek and paprika powder. Stir well. Add beans, tomato puree and stock.

Bring the soup to the boil and let it simmer for about 10 minutes. Season with soy sauce, salt and pepper.

Tomatensoep
Tomato soup

voor 4 personen

1 el olijfolie
1 kg tomaten, in vieren gesneden
2 uien, in grove stukken
4 kippenbouillonblokjes
1 teentje knoflook, grof gehakt
1 tl paprikapoeder
1 el Italiaanse kruiden
2 laurierblaadjes
peper en zout

Verhit de olie in een soeppan en voeg de in vieren gesneden tomaten, uien, bouillonblokjes en knoflook toe. Temper de warmtebron en voeg het paprikapoeder, de Italiaanse kruiden en laurierblaadjes toe. Roer alles goed door en laat het geheel minstens 20 minuten zachtjes koken.

Verwijder de laurierblaadjes en pureer de tomaten in de blender, keukenmachine of met de staafmixer. Voeg water toe (maximaal ½ liter) om de soep te verdunnen tot de gewenste dikte is ontstaan. Voeg peper en zout toe.

serves 4

1 tbsp olive oil
1 kg tomatoes, in quarters
2 onions, coarsely chopped
4 chicken stock cubes
1 clove garlic, coarsely chopped
1 tbsp paprika powder
1 tbsp Italian herbs
2 bay leaves
salt and pepper

Heat the oil in a large pan and add the quartered tomatoes, onions, stock cubes and garlic. Lower the heat and add paprika powder, Italian herbs and bay leaves. Stir well and simmer for at least 20 minutes.

Remove the bay leaves and puree the tomatoes in a blender, food processor or with a hand blender. Add water (up to ½ litre) to thin the soup if you like. Season to taste.

Koninginnesoep *met zalm*
Cream of chicken soup *with salmon*

voor 4 personen

1 liter kippenbouillon, vers of van bouillonblokjes
200 ml droge witte wijn
200 g zalmfilet
1 takje tijm
1 takje peterselie
25 g boter
25 g bloem
1 blikje doperwtjes (200 gram)
1 eidooier
4 el room
1½ el fijngesneden peterselie
peper en zout

Breng de bouillon samen met de wijn aan de kook. Voeg de zalmfilet, tijm en peterselie toe en temper de warmtebron. Haal na 8 minuten de zalmfilet uit de soep en zeef de bouillon.

Smelt de boter in een soeppan en roer de bloem erdoor. Laat de bloem in 1 minuut gaar worden en voeg de bouillon al roerend geleidelijk toe. Blijf roeren tot er een licht gebonden soep is ontstaan en laat deze nog even doorkoken. Voeg de erwtjes toe en voeg peper en zout naar smaak toe.

Roer de eidooier met de room en 4 eetlepels hete soep los. Giet dit mengsel vervolgens bij de soep en roer de soep goed door. Neem onmiddellijk daarna de pan van de warmtebron, want de soep mag nu niet meer koken. Snijd de zalmfilet in blokjes, verdeel ze over vier voorverwarmde soepborden en schep de soep erop. Strooi er peterselie over.

serves 4

1 litre chicken stock, fresh or from cubes
200 ml dry white wine
200 g salmon fillet
1 sprig of thyme
1 sprig of parsley
25 g butter
25 g flour
1 tin of peas (200 g)
1 egg yolk
4 tbsp cream
1½ tbsp finely chopped parsley
salt and pepper

In a large pan bring the stock and wine to the boil. Add the salmon, thyme and parsley and lower the heat. After 8 minutes remove the salmon and strain the stock.

Melt the butter in a clean large pan and stir in the flour. Cook for 1 minute and add the stock, stirring constantly until the soup is slightly thickened. Let it cook for a few more minutes. Add the peas and season to taste.

Mix in a small bowl the cream, 4 tablespoons of hot soup and the egg yolk. Add the mixture to the soup and blend thoroughly. Turn off the heat immediately – the soup must not boil. Dice the salmon, divide among four hot soup plates and ladle in the soup. Garnish with parsley.

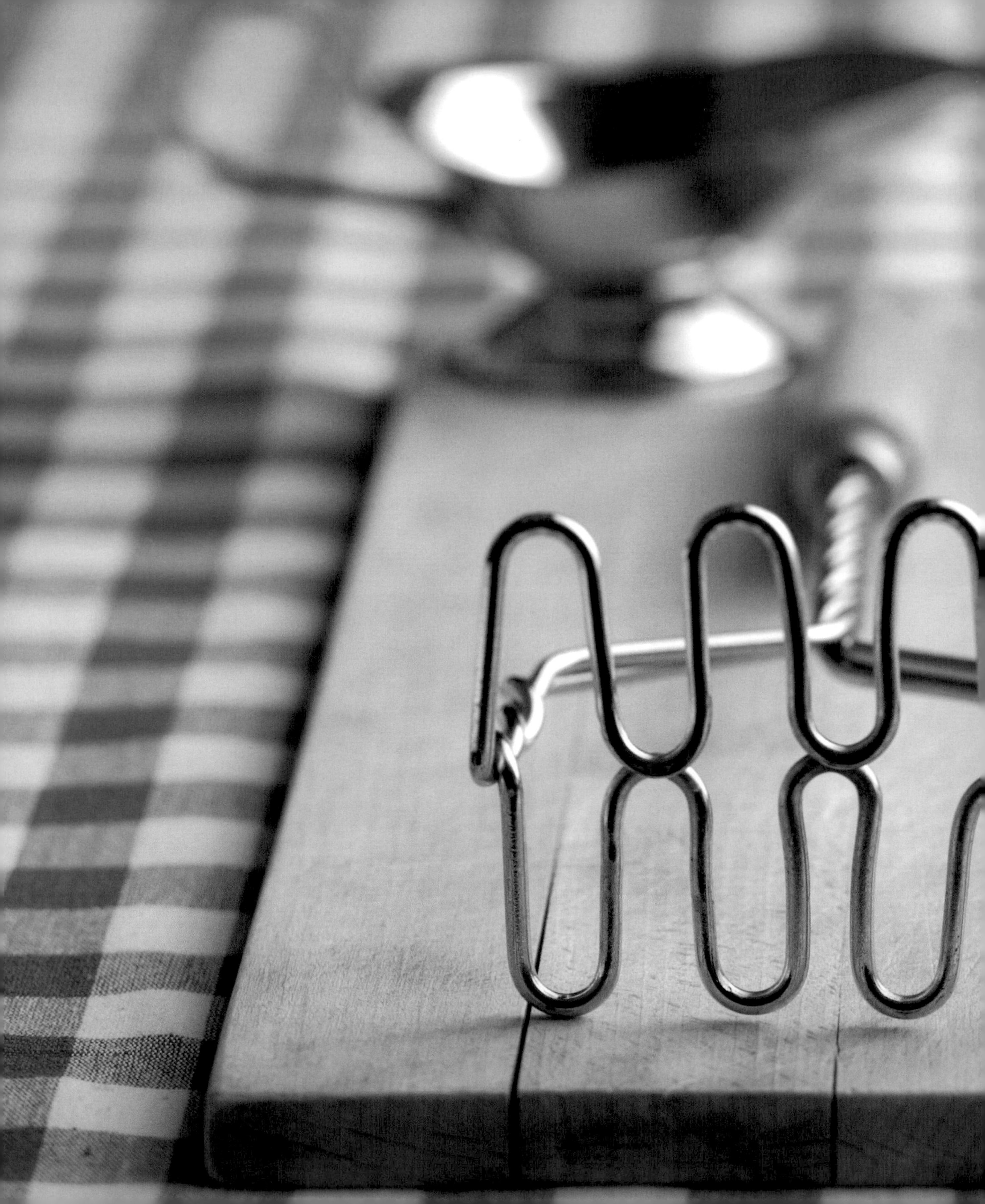

Stamppotten en eenpansgerechten
Mash and other one-pot meals

voor 4 personen

1½ kg klapstuk
1-1½ kg aardappelen, geschild en in vieren
1 kg winterwortels, geschrapt en fijngesneden
½ kg uien, gesnipperd
azijn
peper en zout

Kook het klapstuk minstens 2 uur in een pan met een flinke bodem gezouten water. Haal het klapstuk eruit, maar houd het kookvocht in de pan en doe de aardappelen erin.

Leg het klapstuk op de aardappelen en verdeel daar de wortel en ui omheen. Kook het geheel 30-40 minuten. Haal het klapstuk eruit en stamp de rest fijn met een pureestamper.

Maak er een smeuïg geheel van: voeg eventueel een klontje boter en een scheut melk toe en breng de stamppot op smaak met azijn, peper en zout. Snijd het klapstuk in plakken en leg deze op de hutspot.

serves 4

1½ kg beef ribs (thin flank)
1-1½ kg potatoes, peeled and quartered
1 kg large carrots, peeled and finely chopped
½ kg onions, finely chopped
vinegar
salt and pepper

Boil the meat for at least 2 hours in a pan with a good amount of salted water. Remove the meat and add the potatoes to the liquid in the pan.

Put the meat on top of the potatoes and place the carrot and onion around them. Cook for 30-40 minutes. Remove the meat and mash the vegetables with a masher to a fine consistency.

If necessary add butter and some milk to make a creamy consistency. Season with vinegar, salt and pepper. Slice the meat and put the slices on top of the mash.

Hutspot *met klapstuk*
'Hutspot' *(potato, carrot and onion mash) with beef ribs*

voor 4 personen

1 kg aardappelen, geschild en in vieren
500 g zoete appels, geschild en in stukken
500 g zure appels, geschild en in stukken
300 g gerookt spek
25 g boter
50 ml melk
½ tl kruidnagelpoeder
½ tl kaneelpoeder
peper en zout

Doe de aardappelen in een grote pan en voeg zo veel water toe dat ze net onderstaan. Verdeel de appels erover en leg het spek erop. Voeg een beetje zout toe aan het kookvocht. Kook het geheel in 25 minuten gaar.

Giet het kookvocht af, haal het spek uit de pan en snijd dit in blokjes. Stamp de aardappelen en appels fijn . Maak de puree smeuïg met boter en melk en breng het geheel op smaak met kruidnagelpoeder, kaneelpoeder, peper en zout. Schep de blokjes spek erdoor.

serves 4

1 kg potatoes, peeled and quartered
500 g sweet apples, peeled and chopped
500 g tart apples, peeled and chopped
300 g smoked bacon
25 g butter
50 ml milk
½ tsp ground cloves
½ tsp cinnamon
salt and pepper

Place the potatoes in a large pan and add just enough water to cover. Add a pinch of salt to the water. Place the apples on top of the potatoes and place the bacon on top. Bring to a boil and cook until tender, in about 25 minutes.

Drain, remove the bacon and dice. Mash the potatoes and apples. Beat in butter and milk and season to taste with cloves, cinnamon, salt and pepper. Spoon in the bacon.

Hete bliksem
'Hete bliksem' *(mashed potatoes and apples)*

voor 4 personen

500 g gehakt
250 g gerookt spek, in dobbelsteentjes
1 kg zuurkool
1½ kg aardappelen, geschild en in vieren
50 g boter
50 ml melk
paneermeel
peper en zout

Bak het gehakt rul met peper en zout, en bak het spek uit. Zet het gehakt en het spek apart.

Spoel de zuurkool onder heet water af. Kook de zuurkool en de aardappelen met een beetje zout in aparte pannen gaar. Giet de zuurkool af en stamp de aardappelen fijn met de pureestamper. Maak de puree smeuïg met 25 g boter en de melk, zodat er een luchtig mengsel ontstaat.

Vet een ovenschaal in en bedek de bodem met het gehakt. Schep de spekjes door de zuurkool en verdeel dit mengsel over het gehakt. Bedek dit met een dikke laag aardappelpuree. Strooi er een dun laagje paneermeel over en leg er klontjes van de resterende boter op. Zet de schaal in een voorverwarmde oven van 200 °C tot er een lichtbruin korstje is ontstaan.

serves 4

500 g minced meat
250 g smoked bacon, diced
1 kg sauerkraut
1½ kg potatoes, peeled and quartered
50 g butter
50 ml milk
bread crumbs
salt and pepper

Brown the mince with salt and pepper, and brow the bacon in a separate pan. Set both aside.

Rinse the sauerkraut with hot water. Cook in separate pans the sauerkraut and the potatoes with a pinch of salt. Drain the sauerkraut, and mash the potatoes with a masher. Add 25 g butter and the milk to the puree to make it light and creamy.

Grease a casserole dish and cover the bottom with the meat. Mix the bacon and the sauerkraut and place this over the meat. Cover with a thick layer of pureed potatoes. Sprinkle a thin layer of breadcrumbs over the top and cover with cubes of the remaining butter. Bake in a preheated 200 °C oven until the top is lightly browned.

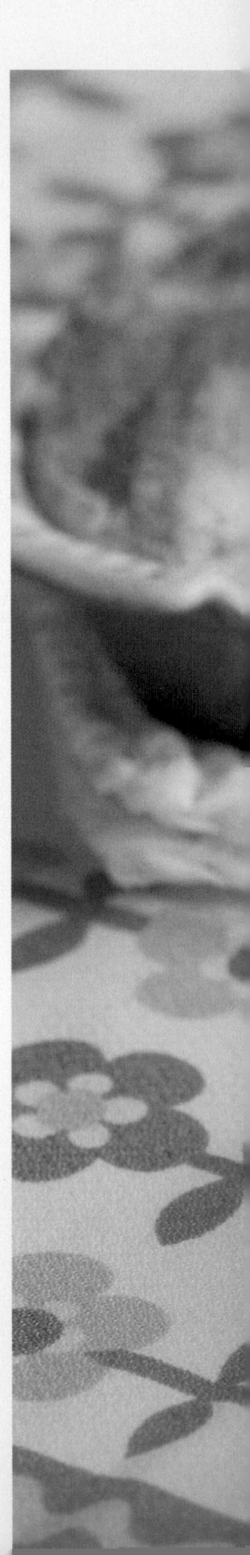

Zuurkoolovenschotel
Sauerkraut casserole

voor 4 personen

1 kg aardappelen, geschild en in vieren
1 tl zout
1 kg boerenkool, gewassen en fijngesneden
1 rookworst
75 g boter
150 g magere spekreepjes
50 ml melk

Doe de aardappelen in een grote pan en zet ze net onder water. Voeg het zout toe. Leg hierop de boerenkool met aanhangend water en leg de rookworst, in de plastic verpakking, hierop. Leg het deksel op de pan en breng het geheel aan de kook. Temper de warmtebron en laat het geheel 20-30 minuten zachtjes koken.

Smelt 25 g boter in een koekenpan en bak de spekreepjes uit. Schep ze met een schuimspaan uit de pan en laat ze uitlekken op keukenpapier. Blus het bakvet af met een scheut water en roer het aanbaksel los, zodat er een mooie jus ontstaat.

Giet de aardappelen en boerenkool af. Gebruik een pureestamper om de aardappelen en boerenkool te mengen. Voeg de resterende boter en melk toe, zodat er een smeuïge stamppot ontstaat. Schep de spekjes erdoor. Verwijder de verpakking van de rookworst en leg de worst op de stamppot.

serves 4

1 kg potatoes, peeled and quartered
1 tsp salt
1 kg curly kale ('boerenkool'), washed and finely chopped
1 smoked sausage
75 g butter
150 g lean bacon, in small strips
50 ml milk

Put the potatoes in a large pan and add just enough water to cover. Add salt. Add the kale and any water that still clings to it and place the sausage on top (if you are using a Dutch 'rookworst', do not remove the inner plastic wrapping). Cover the pan and bring to a boil. Lower the heat and simmer for 20-30 minutes.

Melt 25 g butter in a frying pan and brown the bacon in it. Remove with a slotted spoon and drain on kitchen paper. Add a dash of water to the pan and stir the baked-on bits loose. Cook until you have a nice gravy.

Drain the potatoes and kale. Mash them together. Add the remaining butter and milk and beat until creamy. Stir in the bacon. Remove the sausage from its wrapping if necessary and place it on top of the mash.

Boerenkoolstamppot *met rookworst*
Curly kale and potatoes *with smoked sausage*

voor 4 personen

100 g magere spekreepjes
2 uien, grof gesnipperd
1 grote appel, in stukjes
250 g rundergehakt
500 g gare kapucijners, vers of uit blik, uitgelekt
1 tl paprikapoeder
peper en zout

Bak het spek uit in een droge pan. Voeg de uien en appel toe en bak ze bruin. Voeg het gehakt toe en bak het rul. Voeg de kapucijners toe en schep alles goed door elkaar. Temper de warmtebron.

Roer het paprikapoeder door de kapucijnerschotel en warm het geheel nog even goed door. Voeg peper en zout toe.

serves 4

100 g lean bacon, in thin slices
2 onions, chopped
1 large apple, chopped
250 g minced beef
500 g cooked grey peas or 'kapucijners', fresh or tinned, drained*
1 tsp paprika powder
salt and pepper

Brown the bacon in a dry frying pan. Add the onions and apple, and brown. Add the mince beef and bake until crumbly and brown. Add the beans and stir well. Lower the heat.

Stir in the paprika powder and heat everything thoroughly. Season to taste.

* Grey peas are available in the Netherlands as 'kapucijners'. They look somewhat like brown chickpeas.

Kapucijnerschotel *met appeltjes*
Grey peas *with apples*

voor 4 personen

1 kg aardappelen, geschild en in vieren
75 g boter
400 g braadworst
1 kg andijvie, gesneden
50 ml melk
zout

Doe de aardappelen met een beetje zout in een pan en voeg zo veel water toe dat de aardappelen net onderstaan. Kook de aardappelen in 20-25 minuten gaar.

Smelt 50 g boter in een koekenpan en bak de braadworst rondom bruin. Laat de braadworst in 20 minuten zachtjes gaar worden. Schenk eventueel een scheutje water erbij om aanbakken te voorkomen. Haal de braadworst uit de pan en blus het bakvet af met een scheut water. Roer het aanbaksel los tot er een mooie jus ontstaat.

Giet de aardappelen af en stamp ze met de rauwe andijvie, de resterende boter en de melk tot een smeuïge stamppot. Snijd de braadworst in plakken en leg deze op de stamppot. Serveer de jus erbij.

serves 4

1 kg potatoes, peeled and quartered
75 g butter
400 g frying sausage or German bratwurst
1 kg endive, chopped
50 ml milk
salt

Put the potatoes and salt in a large pan and add just enough water to cover. Bring to a boil and cook until the potatoes are done (20-25 minutes).

Melt 50 g butter in a frying pan and fry the sausage; cook until just tender, in about 20 minutes. If necessary add a little water to prevent sticking. Remove the sausage and add a dash of water. Stir loose the baked-on bits and keep stirring until you have a nice gravy.

Drain the potatoes and mash them with the raw endive, the remaining butter and the milk until creamy. Slice the sausage and place it on top of the mash. Serve with the gravy on the side.

Stamppot rauwe andijvie *met braadworst*
Raw endive mash *with sausage*

voor 4 personen

1 kg aardappelen, geschild en in vieren
25 g boter
1 rookworst
1 knolselderij, geschild en in stukjes
1 bosje bladselderij, fijngehakt
125 ml slagroom
4 el mosterd
zout

Kook de aardappelen met een beetje zout in 20-25 minuten gaar. Kook in een tweede pan in ongeveer dezelfde tijd de blokjes knolselderij met een beetje zout gaar. Leg de rookworst erop (in de binnenste plastic verpakking), zodat hij warm wordt.

Giet de aardappelen af en laat ze droog stomen. Stamp ze met een pureestamper tot een puree. Verwarm de slagroom met de mosterd en roer dit mengsel door de puree. Haal de rookworst uit de plastic verpakking en snijd hem in plakken. Snijd de plakken in vieren.

Giet de knolselderij af en schep de blokjes knolselderij, de bladselderij en de rookworst door de puree. Lekker met een kuiltje jus.

serves 4

1 kg potatoes, peeled and quartered
25 g butter
1 smoked sausage (Dutch 'rookworst')
1 celeriac bulb, peeled and chopped
1 bunch flat-leaf parsley, finely chopped
125 ml cream
4 tbsp mustard
salt

Boil the potatoes in lightly salted water until done, about 20-25 minutes. In a separate pan cook the celeriac in lightly salted water in approximately the same time. Place the sausage (if you are using a 'rookworst' in plastic, remove the outer plastic wrapping but leave the inner wrapping) on top.

Drain the potatoes and let them steam dry. Mash with a masher. Warm the cream with the mustard and stir this mixture in the mashed potatoes. Remove the plastic wrapping from the sausage, and slice the sausage and quarter it.

Drain the celeriac. Stir the celeriac, parsley and sausage into the mash. (If you are serving gravy, make a small well in each serving of mash and pour some in. Delicious!)

Knolselderijstamppot
Celeriac mash

Warme maaltijden
Hot meals

Hachee *met rodekool*
Beef hash *with red cabbage*

voor 4 personen

Voor de hachee:
1 kg runderlappen, in dobbelsteentjes
50 g boter
3 uien, gesnipperd
1 vleesbouillonblokje
3 laurierblaadjes
4 kruidnagels
1 el azijn
peper en zout

Voor de rodekool:
1 rodekool
2 goudrenetten, in blokjes
snufje zout
2 el suiker
2 kruidnagels
2 el azijn

Dep het vlees droog met keukenpapier. Bestrooi het ruim met peper en zout. Verhit de boter in de pan en bak het vlees rondom bruin. Voeg de uien toe en bak deze even mee. Voeg het bouillonblokje, de laurierblaadjes en kruidnagels toe en vul de pan dan met ruim water. Roer goed, breng het geheel aan de kook en zet de warmtebron dan zo laag dat het geheel zachtjes suddert. Laat het vlees minstens 3 uur sudderen.

Bereid intussen de rodekool. Halveer de rodekool en verwijder de harde kern. Halveer de halve rodekool nogmaals en snijd er heel dunne repen van. Zet deze samen met de blokjes appel, het zout, de suiker en de kruidnagels en wat water op. Laat het geheel 1½ uur stoven; roer regelmatig. Voeg zo nodig water toe.

Laat de rodekool helemaal slinken en voeg 10 minuten voor het einde van de kooktijd 2 eetlepels azijn toe; zo wordt de kool mooi rood en glanzend. Als de rodekool goed is geslonken en het vocht is ingedikt, kan hij zo worden geserveerd – dus niet afgieten.

Voeg een halfuur voor het einde van de suddertijd van het vlees 1 eetlepel azijn toe. Roer af en toe en voeg indien nodig wat water toe. De saus zal door de ui vanzelf indikken. Mocht u de saus toch dikker willen maken, dan kunt u deze binden met allesbinder of maïzena. Lekker met aardappelpuree.

serves 4

For the hash:
1 kg braising steak, diced
50 g butter
3 onions, finely chopped
1 beef stock cube
3 bay leaves
4 cloves
1 tbsp vinegar
salt and pepper

For the red cabbage:
1 red cabbage
2 tart baking apples, diced
pinch of salt
2 tbsp sugar
2 cloves
2 tbsp vinegar

Dry the meat with kitchen paper. Sprinkle generously with salt and pepper. Heat the butter in a large pan and brown the meat. Add the onion and fry several minutes. Add the stock cube, bay leaves and cloves, and cover generously with water. Stir well, bring to a boil and lower heat to simmer. Leave the meat to simmer for at least 3 hours.

Meanwhile, prepare the red cabbage. Cut the cabbage in half and remove the hard core. Cut each half in half again and slice the cabbage into fine strips. Put these in a pan with the diced apple, salt, sugar, cloves and some water. Let this simmer for 1½ hours; stir regularly. Add water if necessary.

Let the cabbage juices thicken and add 2 tablespoons of vinegar 10 minutes before the end of the cooking time. This way the cabbage will keep its red colour and be nice and shiny. Once the juices have thickened, the cabbage is ready to serve; do not drain.

Half an hour before the meat is done, add 1 tablespoon of vinegar. Stir occasionally and add water if necessary. The onion will thicken the sauce. If you want the sauce thicker still, stir in some corn flour. Very nice with mashed potatoes.

Spekpannenkoek *met stroop*
Bacon pancakes *with syrup**

voor 8 pannenkoeken

400 g bloem, gezeefd
snufje zout
800 ml melk
3 eieren
30 g boter
200 g gesneden ontbijtspek

Doe de bloem met het zout in een kom. Voeg onder voortdurend roeren de melk toe tot er een glad beslag is ontstaan. Voeg daarna onder voortdurend roeren de eieren toe.

Smelt een klontje boter in een koekenpan en leg er een paar plakjes ontbijtspek in. Bak ze aan beide kanten kort uit. Schenk er een deel van het beslag over, zodat het spek en de bodem royaal bedekt zijn. Bak de pannenkoek op een matige warmtebron en keer hem zodra de bovenkant droog is. Keer hem en bak de andere kant goudbruin. Leg de pannenkoek op een voorverwarmd bord en bak pannenkoeken tot het beslag op is. Serveer de pannenkoeken met stroop.

makes 8 pancakes

400 g flour, sifted
pinch of salt
800 ml milk
3 eggs
30 g butter
200 g sliced bacon

Mix flour and salt in a bowl. Add the milk, stirring constantly, until a smooth batter is formed. Beat in the eggs.

Melt a knob of butter in a frying pan and fry a few slices of bacon. Pour batter over it, so that the bottom of the pan is generously covered. Fry the pancake over medium heat and turn as soon as the top is dry. Fry the other side until golden brown. Turn the pancake out onto a warmed plate and bake the remaining pancakes. Serve with syrup.

* The classic Dutch pancake syrup, 'stroop' or 'schenkstroop', is similar to our black treacle.

Gekookte mosselen *met mosterdsaus*
Mussels *with mustard sauce*

Voor de mosselen:
2 kg mosselen
2 el olijfolie
1 ui, grof gesnipperd
1 prei, in ringen
¼ knolselderij, in blokjes
½ bosje bladselderij, grof gesneden
zout
200 ml droge witte wijn

Voor de mosterdsaus:
2 el mayonaise
1 el mosterd
1 el fijngesneden peterselie

Spoel de mosselen onder koud stromend water af. Verwijder de eventuele baard en gooi kapotte en al openstaande mosselen weg. Verhit de olie in een pan en bak de ui, prei, knolselderij en bladselderij 2 minuten onder voortdurend omscheppen. Voeg het zout en de wijn toe en leg de gewassen mosselen met aanhangend water erop.
Leg het deksel op de pan en laat de mosselen 10 minuten koken tot ze open zijn. Gooi mosselen die gesloten zijn gebleven weg.

Roer de mayonaise, mosterd en peterselie door elkaar en serveer dit sausje bij de mosselen.

For the mussels:
2 kg mussels
2 tbsp olive oil
1 onion, coarsely chopped
1 leek, in rings
¼ celeriac, cubed
½ bunch flat-leaf parsley, coarsely chopped
salt
200 ml dry white wine

For the mustard sauce:
2 tbsp mayonnaise
1 tbsp mustard
1 tbsp finely chopped parsley

Rinse the mussels with cold running water. Remove any beard and discard mussels with broken or open shells. Heat the oil in a pan and sauté onion, leek, celeriac and flat-leaf parsley for 2 minutes, stirring constantly. Add salt and wine, and place the cleaned mussels on top along with any water clinging to them. Cover the pan and cook the mussels for 10 minutes or until they have opened. Discard any mussels that are still closed.

Mix mayonnaise, mustard and parsley and serve with the mussels.

Gebakken kalfslever *met spek en uien*
Fried calf's liver *with bacon and onions*

voor 4 personen

8 plakken kalfslever
2 el bloem
25 g boter
12 plakken ontbijtspek
2 uien, in ringen
peper en zout

Verwijder de grote bloedvaten en spoel de plakken kalfslever zorgvuldig af. Dep ze droog met keukenpapier. Bestrooi ze met peper en zout en haal ze door de bloem.

Verhit de boter in een pan en bak het ontbijtspek uit. Haal het spek uit de pan en houd het warm. Leg de kalfslever in het nog hete braadvet. Temper de warmtebron. Bak de plakken kalfslever in 8 minuten aan beide kanten bruin. Neem ze uit de pan en houd ze warm.

Bak in 5 minuten in hetzelfde vet de uienringen bruin en gaar.

Verdeel de kalfslever over de borden en leg het spek en de uienringen erop.

serves 4

8 slices of calf's liver
2 tbsp flour
25 g butter
12 slices of bacon
2 onions, sliced in rings
salt and pepper

Remove any large blood vessels from the liver and rinse carefully. Dry with kitchen paper. Sprinkle with salt and pepper and cover the slices with flour.

Heat the butter in a pan and brown the bacon. Remove the bacon from the pan and keep it warm. Place the liver in the hot fat. Lower the heat. Fry the slices of liver until brown on both sides, about 8 minutes altogether. Remove from the pan and keep warm.

Cook the onion rings in the same fat for about 5 minutes until browned.

Serve the liver with the bacon and onions on top.

Asperges *met ham, ei en hollandaisesaus*
Asparagus *with ham, egg and hollandaise sauce*

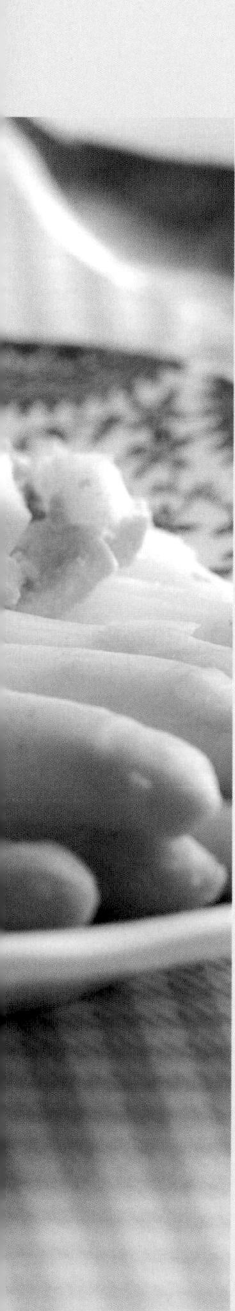

voor 4 personen

Voor de asperges:
2 kg asperges
1 tl zout
klontje boter
1 tl suiker
4 eieren, hardgekookt en fijngehakt
8 plakken beenham, in reepjes

Voor de saus:
4 eidooiers
4 el droge witte wijn
100 g gesmolten roomboter
nootmuskaat
citroensap
peper en zout

Schil de asperges met een dunschiller vanaf de kop naar beneden. Snijd van de onderkant een stukje af. Leg de asperges in een pan met ruim koud water, voeg het zout, de boter en de suiker toe en breng de vloeistof aan de kook. Draai als het water goed aan de kook is de warmtebron uit en houd de asperges in het hete water om ze gaar te laten worden.

Klop voor de saus de eidooiers schuimig met de wijn. Verwarm dit mengsel au bain marie onder voortdurend kloppen tot de saus gebonden is. Haal de pan van de warmtebron en klop de gesmolten roomboter er geleidelijk door. Voeg peper, zout, nootmuskaat en citroensap toe.

Schep de asperges met een schuimspaan uit de pan en laat ze goed uitlekken. Leg ze op een (asperge)schaal met de koppen naar één kant. Verdeel de eieren en ham over de asperges en schenk de saus erover.

serves 4

For the asparagus:
2 kg white asparagus
1 tsp salt
knob of butter
1 tsp sugar
4 eggs, hard-boiled and finely chopped
8 slices ham, in strips

For the sauce:
4 egg yolks
4 tbsp dry white wine
100 g melted butter
nutmeg
lemon juice
salt and pepper

Peel the asparagus with a vegetable peeler, working from the tip down, and slice off the ends. Place the asparagus in a pan. Add a generous amount of cold water, add salt, butter and sugar, and bring the water to a rolling boil. Turn off the heat and wait until the asparagus are just tender.

To make the sauce, beat the egg yolks with the wine frothy. Heat the mixture over a double boiler, whisking constantly, until the sauce has thickened. Remove the pan from the heat and gradually beat in the melted butter. Season to taste with salt, pepper, nutmeg and lemon juice.

Remove the asparagus from the pan with a skimmer and drain well. Place them on a serving dish with the tips pointing in the same direction. Cover with the eggs and ham and pour the sauce on top.

Rijst *met kippenragout*
Rice *with chicken ragout*

voor 4 personen

300 g rijst
500 ml kippenbouillon, vers of van bouillonblokje
250 g kipfilet
1 el olie
250 g kleine champignons, in vieren
1 ui, gesnipperd
1 el fijngehakte peterselie
1 el fijngehakt bieslook
1 tl gemberpoeder
1 tl sambal oelek
25 g boter
25 g bloem
100 ml slagroom, niet geklopt
peper en zout

Kook de rijst volgens de gebruiksaanwijzing op de verpakking gaar.

Breng de bouillon aan de kook en kook de kipfilet in 10 minuten gaar. Laat de kipfilet iets afkoelen en snijd hem in kleine stukjes. Zeef de bouillon.

Verhit de olie in een koekenpan en bak hierin de champignons en de ui in 5 minuten gaar. Voeg de peterselie, het bieslook, gemberpoeder en de sambal toe en roer het geheel goed door.

Smelt de boter in een andere pan en roer de bloem erdoor. Voeg de helft van de bouillon toe en roer tot er een gladde saus ontstaat. Schenk de rest van de bouillon erbij en roer tot er een dikke saus ontstaat. Roer het champignonmengsel erdoor.

Schep rijst op een bord en verdeel de ragout erover.

serves 4

300 g rice
500 ml chicken stock, fresh or from a cube
250 g boneless chicken breast
1 tbsp oil
250 g small mushrooms, quartered
1 onion, finely chopped
1 tbsp finely chopped parsley
1 tbsp finely chopped chives
1 tsp ground ginger
1 tsp sambal ulek (Indonesian spicy paste)
25 g butter
25 g flour
100 ml cream
salt and pepper

Cook the rice according to the instructions on the package.

Bring the stock to a boil and cook the chicken breast until done, about 10 minutes. Let it cool slightly, then chop. Strain the stock.

Heat the oil in a frying pan and sauté the mushrooms and onion about 5 minutes until golden brown. Add the parsley, chives, ginger and sambal and mix well.

Melt the butter in another pan and stir in the flour. Add half of the stock and stir well until blended. Add the rest of the stock and stir until the sauce has thickened. Stir in the mushroom mixture.

Serve the ragout over the rice.

Gehaktballetjes *met jus en puree*
Meatballs *with gravy and mashed potatoes*

voor 4 personen

1 kg aardappelen, geschild en in vieren
25 g boter
50 ml melk
nootmuskaat
600 g gehakt
1 ui, gesnipperd
1 ei
2 el paprikapoeder
1 el tomatenketchup
1 tl mosterd
3 el paneermeel
2 el boter
peper en zout

Kook de aardappelen in water met een beetje zout gaar. Druk ze door een pureeknijper en roer de boter en melk erdoor, zodat er een smeuïge puree ontstaat. Breng de puree op smaak met nootmuskaat, peper en zout.

Kneed het gehakt met de ui, het ei, paprikapoeder, de tomatenketchup, mosterd, het paneermeel, en peper en zout. Draai kleine balletjes van het gehakt. Smelt de boter in een pan en bak de balletjes rondom bruin. Bak ze op laag vuur in 8-10 minuten gaar. Haal ze uit de pan en houd ze warm.
Blus het bakvet af met een scheut water en roer de aanbaksels los van de bodem, zodat er een jus ontstaat. Leg de balletjes in de jus.

Verdeel de puree over borden en schep er een paar gehaktballetjes met jus op.

serves 4

1 kg potatoes, peeled and quartered
25 g butter
50 ml milk
nutmeg
600 g minced meat
1 onion, finely chopped
1 egg
2 tbsp paprika powder
1 tbsp ketchup
1 tsp mustard
3 tbsp bread crumbs
2 tbsp butter
salt and pepper

Boil the potatoes in salted water until done. Mash them with a ricer and beat in butter and milk until the puree is creamy. Season to taste with nutmeg, salt and pepper.

Knead the mince meat with the onion, egg, paprika powder, ketchup, mustard, bread crumbs, salt and pepper. Form the mixture into small balls. Melt the butter in a pan and brown the meatballs over a low heat, about 8-10 minutes. Remove from the pan and keep warm. Add a dash of water and stir to loosen the baked-on bits until you have a nice gravy. Put the meatballs back in the gravy.

Serve the meatballs and gravy over the mashed potatoes.

Toetjes en andere zoetigheden
Desserts and other sweets

voor 4-6 personen

Voor de pudding:
1 liter volle melk
snufje zout
100 g griesmeel
75 g suiker
50 g amandelen, fijngehakt
50 g krenten
1 eidooier, losgeklopt
1 eiwit, stijfgeslagen

Voor de saus:
300 ml bessensap
300 ml water
stukje van een kaneelstokje
20 g aardappelmeel
75 g suiker

Breng de melk met het zout aan de kook. Meng het griesmeel met de suiker en voeg dit mengsel toe aan de kokende melk. Breng het opnieuw aan de kook en temper de warmtebron. Laat dit op een zeer matige warmtebron 10 minuten zachtjes koken.

Roer de gehakte amandelen, de krenten en de eidooier door de pudding. Spatel met het stijfgeslagen eiwit met een pollepel door de pudding. Spoel een puddingvorm om met koud water en schenk het griesmeelmengsel erin. Laat het helemaal afkoelen. U kunt natuurlijk ook meerdere kleine puddingvormpjes gebruiken.

Maak ondertussen de bessensaus. Meng het bessensap, het water en het kaneelstokje, breng het mengsel aan de kook en laat het een halfuur op een zeer matige warmtebron trekken. Verwijder het kaneelstokje. Bind de vloeistof met aangelengd aardappelmeel tot een dunne saus en voeg de suiker toe. Laat de saus afkoelen.

Dompel de puddingvorm met de afgekoelde pudding tot aan de rand enkele tellen in heet water. Stort de vorm op een platte schaal en schenk de bessensaus erover.

serves 4-6

For the pudding:
1 litre full-cream milk
pinch of salt
100 g semolina
75 g sugar
50 g almonds, finely chopped
50 g currants
1 egg yolk, lightly beaten
1 egg white, beaten until stiff

For the sauce:
300 ml red- or blackcurrant juice
300 ml water
small piece of cinnamon
20 g potato flour
75 g sugar

Bring the milk and salt to a boil. Mix semolina and sugar; stir this mixture into the boiling milk. Bring to the boil again and reduce the heat. Simmer gently for 10 minutes.

Stir the chopped almonds, currants and egg yolk into the milk. Fold in the beaten egg white. Rinse a large pudding mould (or several individual moulds) with cold water and pour in the semolina mixture. Let cool completely.

To make the sauce: mix currant juice, water and cinnamon, bring to a boil and let simmer over a very low heat for 30 minutes. Remove the cinnamon. Thicken with potato flour (blended to a paste with some water) until slightly thickened and add the sugar. Allow to cool.

To loosen the pudding, dip the mould a few seconds in hot water. Turn the mould onto a flat serving dish and pour the sauce over the pudding.

Griesmeelpudding *met bessensaus*
Semolina pudding *with currant sauce*

voor 4-6 personen

1 liter volle melk
150 g paprijst
snufje zout
2 zakjes vanillesuiker
1 tl kaneelpoeder
1 eidooier, losgeklopt
1 eiwit, stijfgeklopt
3 el bruine basterdsuiker

Breng de melk in een pan met dikke bodem aan de kook en roer de rijst, het zout, de vanillesuiker en het kaneelpoeder door de melk. Laat die opnieuw aan de kook komen en temper de warmtebron. Leg het deksel schuin op de pan en laat de rijstebrij een uur zachtjes doorkoken, tot hij gaar is.

Schenk de rijstebrij in een voorverwarmde schaal en roer de eidooier erdoor. Spatel het eiwit erdoor en strooi de basterdsuiker over de nog hete rijstebrij zodat de suiker iets karameliseert. Serveer de rijstebrij direct.

serves 4-6

1 litre full-cream milk
150 g short-grain rice
pinch of salt
2 sachets vanilla sugar
1 tsp cinnamon
1 egg yolk, lightly beaten
1 egg white, beaten until stiff
3 tbsp brown sugar

In a heavy-bottomed saucepan, bring the milk to a boil and stir in the rice, salt, vanilla sugar and cinnamon. Bring to a boil again and lower the heat. Cover partially and simmer gently for an hour until done.

Pour into a warm serving dish and stir in the egg yolk. Fold in the egg white and sprinkle the brown sugar over the hot pudding so that the sugar will start to melt. Serve immediately.

Rijstebrij
Rice pudding

voor 4 personen

Voor de rode stoofpeertjes:
8 stoofpeertjes
1 fles rode wijn
2 kruidnagels
2 kaneelstokjes
1 el suiker

Schil de stoofpeertjes maar laat het steeltje eraan zitten. Snijd de onderkant van de peertjes recht af zodat ze kunnen blijven staan. Zet ze in een grote pan en vul deze met de wijn. Voeg de kruidnagels, kaneelstokjes en suiker toe en vul de pan met water tot alle peertjes onderstaan.

Breng het geheel aan de kook en temper de warmtebron. Laat de peertjes 45 minuten zachtjes koken. Zet de peertjes op een voorverwarmde schaal en schenk er wat van het kookvocht over.

Voor de witte stoofpeertjes:
8 stoofpeertjes
1 fles witte wijn
50 g rietsuiker
1 kaneelstokje
2 kruidnagels

Schil de stoofpeertjes maar laat het steeltje eraan zitten. Snijd de onderkant van de peertjes recht af zodat ze kunnen blijven staan. Breng de stoofpeertjes met de wijn, suiker, het kaneelstokje en de kruidnagels aan de kook en laat ze in 45 minuten zachtjes gaar koken. Laat de peertjes in het warme kookvocht staan.

serves 4

For the red pears:
8 stewing pears
1 bottle of red wine
2 cloves
2 cinnamon sticks
1 tbsp sugar

Peel the pears, leaving the stem on. Slice off a piece from the bottom so that the pears can stand up. Place them in a large pan and pour in the wine. Add the cloves, cinnamon and sugar, and add water until all pears are covered.

Bring to the boil and lower the heat. Simmer gently for 45 minutes. Serve the pears while they are still warm, in their cooking liquid.

For the white pears:
8 stewing pears
1 bottle of white wine
50 g demerara sugar
1 cinnamon stick
2 cloves

Peel the pears, leaving the stem on. Slice off a piece from the bottom so that the pears can stand up. Bring the pears to the boil with the wine, sugar, cinnamon stick and cloves, and simmer about 45 minutes until tender. Serve the pears while they are still warm, in their cooking liquid.

Rode en witte stoofpeertjes
Red and white stewing pears

voor 1 koek

500 g volkorenmeel
1 zakje (15 g) speculaaskruiden
10 g kaneelpoeder
300 ml stroop
1 zakje (15 g) bakpoeder
400 ml melk
100 g suiker

Meng het meel, de speculaaskruiden, het kaneelpoeder, de stroop, het bakpoeder, de melk en suiker met een vork door elkaar, zodat er een glad beslag ontstaat.

Vul een ingevet cakeblik met het beslag en zet dit 1 uur en 15 minuten in een oven van 150 °C.

Haal de kruidkoek uit de oven en dek het cakeblik af met aluminiumfolie. Laat de kruidkoek afkoelen en haal hem dan pas uit het cakeblik.

makes 1 cake

500 g whole-meal flour
*1 sachet (15 g) gingerbread spices or 'speculaaskruiden' **
10 g cinnamon
300 ml pancake syrup (stroop)
1 sachet (15 g) baking powder
400 ml milk
100 g sugar

Mix the flour, gingerbread spices, cinnamon, syrup, baking powder, milk and sugar with a fork until the batter is smooth.

Pour into a greased cake tin and bake 1 hour and 15 minutes in a 150 °C oven.

Remove from the oven. Cover the tin with tin foil. Let the cake cool before removing it from the tin.

* 'speculaas' is a typical Dutch cookie; the Silvo brand of 'speculaaskruiden' is very good.

Kruidkoek
Spicy cake

voor 1 taart

300 g zelfrijzend bakmeel
150 g witte basterdsuiker
1 zakje vanillesuiker
175 g koude boter, in blokjes
1 ei, losgeklopt
snufje zout
1 el paneermeel
1 kg harde zure appels, geschild en in stukjes
50 g rozijnen
50 g kristalsuiker
3 tl kaneelpoeder

Meng het meel, de basterdsuiker, vanillesuiker, boter, twee derde van het ei en een snufje zout en kneed alles tot een soepel deeg. Houd een vierde deel van het deeg apart om de appeltaart te kunnen afdekken. Vet een springvorm in en bekleed deze helemaal met het deeg. Maak opstaande randen van 3 cm hoog. Druk het deeg goed aan. Prik met een vork gaatjes in de bodem en strooi er een dun laagje paneermeel overheen.

Verwarm de oven voor op 175 °C. Schep de stukjes appel, de rozijnen, de kristalsuiker en het kaneelpoeder goed door elkaar. Schep de vulling in de springvorm. Rol het restant van het deeg uit tot een lap van ½ cm dik en snijd deze in lange repen van ongeveer 1 cm breed.

Leg de repen op de vulling, zodat er een ruitpatroon ontstaat. Druk de repen op de randen goed aan. Bestrijk de bovenkant van de taart met de rest van het losgeklopte ei en bak de taart in 1 uur en 15 minuten in een oven van 175 °C gaar en goudbruin.

Laat de taart in de springvorm afkoelen en verwijder pas daarna de springvormrand. Lekker met lobbig geklopte slagroom.

makes 1 pie

300 g self-raising flour
*150 g soft white sugar**
1 sachet vanilla sugar
175 g cold butter, in pieces
1 egg, lightly beaten
pinch of salt
1 tbsp bread crumbs
1 kg hard tart apples, peeled and chopped
50 g raisins
50 g sugar
3 tsp cinnamon

Mix flour, soft white sugar, vanilla sugar, butter, two thirds of the egg and a pinch of salt, and knead to a soft dough. Set one fourth of the dough aside for the top crust. Grease a spring form pan and cover completely with the dough. Press up the sides until the edges are 3 cm high. Press firmly. Prick holes in the bottom with a fork and cover with a thin layer of bread crumbs.

Preheat the oven to 175 °C. Mix the pieces of apple, raisins, sugar and cinnamon thoroughly and spoon into the spring form. Roll out the remaining dough until ½ cm thick; cut the dough into long strips of about 1 cm wide.

Place the strips on top of the filling, forming a latticework pattern. Seal the strips where they meet the edges. Glaze the top with the rest of the egg and bake until the pie is golden brown, about 1 hour and 15 minutes.

Let the pie cool in the pan before removing the side. Delicious with lightly whipped cream.

* Sold in the Netherlands as 'witte basterdsuiker'.

Hollandse appeltaart
Dutch apple pie

voor 1 vlaai

Voor de bodem:
250 g bloem
7 g instantgist
100 ml melk
20 g zachte boter
¼ ei
15 g suiker
3 g zout

Voor de pudding:
400 ml melk
35 g custardpoeder
40 g suiker

Voor de kruimellaag:
200 g bloem
140 g suiker
140 g harde boter

Meng de bloem, gist, melk, boter, het ei, de suiker en het zout en kneed er in 10 minuten een mooie elastische deegbal van. Laat de deegbal afgedekt 60 minuten rijzen.

Meng een paar lepels van de melk met het custardpoeder en roer er een glad papje van. Breng de rest van de melk aan de kook en roer de suiker erdoor. Schenk het custardpapje er al roerend bij en laat de custard enkele minuten doorkoken. Goed blijven doorroeren.

Doe de bloem, suiker en boter in een kom en snijd met 2 messen de boter klein. Wrijf de boter met de vingertoppen in het bloem-mengsel tot er een kruimelig geheel ontstaat; kneed het mengsel niet, wrijf alleen met de vingertoppen.

Rol het deeg op een met bloem bestoven werkblad uit en bekleed een ingevette vlaai-vorm hiermee. Prik de bodem met een vork in en laat hem nog 30 minuten afgedekt rijzen. Verdeel de custard erover en strooi de kruimel-laag erover. Bak de vlaai 25-30 minuten in een oven van 220 °C gaar en goudbruin.

makes 1 flan

For the crust:
250 g flour
7 g instant yeast
100 ml milk
20 g soft butter
¼ egg
15 g sugar
3 g salt

For the filling:
400 ml milk
35 g custard powder
40 g sugar

For the topping:
200 g flour
140 g sugar
140 g hard butter

Mix the flour, yeast, milk, butter, egg, sugar and salt, and knead for 10 minutes until the dough is smooth and elastic. Cover and let rise for 60 minutes.

Mix a few spoonfuls of the milk with the custard powder and stir well to make a smooth paste. Bring the remaining milk to the boil and stir in the sugar. Pour in the custard paste, stirring constantly, and continue to cook for a few more minutes. Keep stirring.

Put the flour, sugar and butter in a bowl and using two knives cut in the butter until fine. With your fingertips rub the butter in until crumbly (do not knead).

Roll the dough out onto a floured surface and lay it into a greased pie mould. Prick the bottom with a fork and let rise, covered, for another 30 minutes. Spread the custard evenly in the mould and sprinkle the crumble on top. Bake the flan 25-30 minutes at 220 °C until set and golden brown.

Limburgse kruimelvlaai
Limburg-style flan

Voor 20 oliebollen:
500 g bloem
500 ml melk
7 g instantgist
1 tl zout
25 g suiker
50 g rozijnen
1 tl kaneelpoeder
zonnebloemolie
poedersuiker

Meng de bloem, melk, gist, het zout, de suiker, rozijnen en het kaneelpoeder tot een dik, glad beslag. Laat het beslag minstens één uur afgedekt in een kom rijzen.

Verhit de zonnebloemolie tot 180 °C. Schep met 2 lepels of een ijsschep beslag uit de kom en vorm een oliebol. Laat deze voorzichtig in de hete olie zakken en bak hem 4-5 minuten. Door de lepels of ijsschep elke keer in een bakje met warm water te dopen laat het beslag makkelijker los. Keer halverwege de baktijd de oliebol om. Bak 5-6 oliebollen tegelijk en laat ze uitlekken op keukenpapier.

For 20 beignets:
500 g flour
500 ml milk
7 g instant yeast
1 tsp salt
25 g sugar
50 g raisins
1 tsp cinnamon
sunflower oil
icing sugar

Mix flour, milk, yeast, salt, sugar, raisins and cinnamon to a smooth batter without any lumps. Let the batter rise in a covered bowl for at least one hour.

Heat the oil to 180 °C. Using two spoons or an ice-cream scoop, scoop enough batter to form a small tennisball. Carefully drop the ball into the hot oil and fry for 4-5 minutes. The batter will be easier to handle if you dip the spoons or scoop in warm water after each scoop. Turn the beignets after about 3 minutes. Cook 5 to 6 beignets at a time and drain on kitchen paper.

Voor 10 appelflappen:
2 zoetzure appels
50 g rozijnen
1 tl kaneelpoeder
4 el suiker
1 ei, losgeklopt
10 plakjes bladerdeeg, ontdooid

Schil de appels, verwijder het klokhuis en snijd ze in kleine stukjes. Meng de appels met de rozijnen, het kaneelpoeder en 2 eetlepels suiker.

Leg een hoopje vulling op een plakje bladerdeeg en vouw 2 punten naar elkaar toe. Druk de randen goed dicht. Maak op deze manier ook de andere appelflappen. Bestrijk ze met het ei en bestrooi ze met de resterende suiker. Leg ze op een ingevette bakplaat en bak de appelflappen 20-25 minuten in een oven van 220 °C goudbruin. Haal ze van de bakplaat en laat ze op een taartrooster afkoelen.

For 10 apple turnovers:
2 tart apples
50 g raisins
1 tsp cinnamon
4 tbsp sugar
1 egg, lightly beaten
10 sheets of puff pastry, thawed

Peel and core the apples and chop into small chunks. Mix with the raisins, cinnamon and 2 tablespoons sugar.

Place a small mound of filling on a piece of puff pastry and fold the pastry to a triangle. Press the edges to seal. Make the rest of the turnovers in the same way. Brush the top with egg and sprinkle the remaining sugar on top. Place on a greased cookie sheet and bake for 20-25 minutes in a 220 °C oven until golden brown. Remove from the baking sheet and let cool on a rack.

Oliebollen en appelflappen
Raisin beignets and apple turnovers

Index

Register

Dankbetuiging

Met dank aan Toos Kuipers en Ria Visser, want waar zouden we zijn zonder de spullen uit moeders tijd...

Acknowledgements

Our thanks to Toos Kuipers and Ria Visser – where would we be without the things from our mothers' days...